FILE.38-01

◉文＝志賀信夫

★《ゆらめく宴》2021年、333×242mm、アクリル絵具・岩絵具・水干・金箔・和紙

大島利佳 OSHIMA RIKA

平面的表現と肉感ある身体

★《招福のおめかし》2022年、318×410mm、アクリル絵具・岩絵具・水干・金箔・和紙

★《寅のおめかし》2021年、273×273mm、アクリル絵具・岩絵具・水干・金箔・和紙

★《歓楽のおめかし》2022年、410×318mm、アクリル絵具・岩絵具・水干・金箔・和紙

★《嬉々とあっぱれ》2023年、333×242mm、アクリル絵具・岩絵具・水干・金箔・和紙

★《巡り逢う》2023年、190×273mm、アクリル絵具・岩絵具・水干・箔・和紙

★《龍の縁結び》2023年、450×300mm、アクリル絵具・岩絵具・水干・箔・和紙

★《おぼろにかすむ》2022年、410×273mm、アクリル絵具・岩絵具・水干・箔・和紙

★《一途な迷子》2023年、1000×1000mm、アクリル絵具・岩絵具・水干・金箔・和紙

柔らかな肉感を持つ少女と、アジア・レトロな幻想世界

デザイン科から日本画的世界へ

大島利佳の作品を見ると、ふっと引き込まれる魅力がある。少女の顔は唇と眼が特徴的で、いわゆる「愛らしい」とは違う。でも、「愛らしい」としかいいようがない雰囲気を漂わせている。そこにはほのかなユーモアも感じさせる。日本画的な平面表現なのに、人物は表情も含めて生き生きしている。アジア的というか、レトロでもあるような、なんとも不思議な雰囲気である。さらに幻想性や、ほのかなエロティシズムを滲ませるものもある。これらの作品は、どのように生まれてきたのだろうか。

大島は、幼少期から絵を描くことが好きだった。そのため、母のすすめで絵画教室に通っていた。こうして、好きで画材に触れる機会があったことから、大学進学を検討したときに、自分が携わりたい仕事は、美術に関わることだと考えた。ただ中学・高校は運動部に所属していたので、そのあと美術に触れたのは、美術の授業と大学受験の美術予備校のみである。

そして大学受験の際、美大・藝大を目指すというと、両親からは、大学卒業後は就職を前提で受験してほしいとい

★《福々来たり、めでたくは日々。》2020年、1620×3900mm、アクリル絵具・岩絵具・水干・金箔・和紙

★《火照る窓》2023年、410×410mm、アクリル絵具・岩絵具・水干・箔・和紙

われていた。大島自身も、作家として食べていくことは難しいと思っていたため、就職のイメージのつきやすいデザイン科を選択した。ただ受験生のころは、「就職を考えなければ、日本画も魅力的だ」と漠然と思っていた。それは、仕事の丁寧さや清潔感のようなものに惹かれていたからだ。そして、多摩美術大学のグラフィックデザイン科に一年通い、東京藝術大学のデザイン科を経て、その大学院を修了している。

　彼女は、作品をつくるとき、日本画の人物の平面的な表現や、平面的なイラストレーションを好んでいたこともあり、表現の相性が良いと思ったのが、日本画の画材とアクリル絵具だ。また、藝大大学院のデザイン科の描画・装飾研究室（現・第八研究室Draw）に憧れもあったため、中島千波をはじめとする日本画の先生や先輩には、どこかしら影響を受けているという。ただ、ほぼ日本画材は独学で、素材の良さを生かすために部分的に使用している。アクリル絵具は、受験期から慣れた画材で、かなり使い勝手が良いという。つまり、大島の体質に合っているのだろう。

日本画とデザイン

　このデザインと日本画の共通性と違いについて、少し考えてみよう。日本画とデザインはどう違うのか。日本画という概念は、実は古くない。西洋画、洋画が入ってきたとき、明治時代に生まれたものだ。当時、フェノロサ（一八五三〜一九〇八年）は次のような概念を挙げている。

　①写真のように写実を追わない、②陰影がない、③鉤勒（輪郭線）がある、④色調が濃厚でない、⑤表現が簡潔である。

　これは一八八二年、一四〇年前の表現

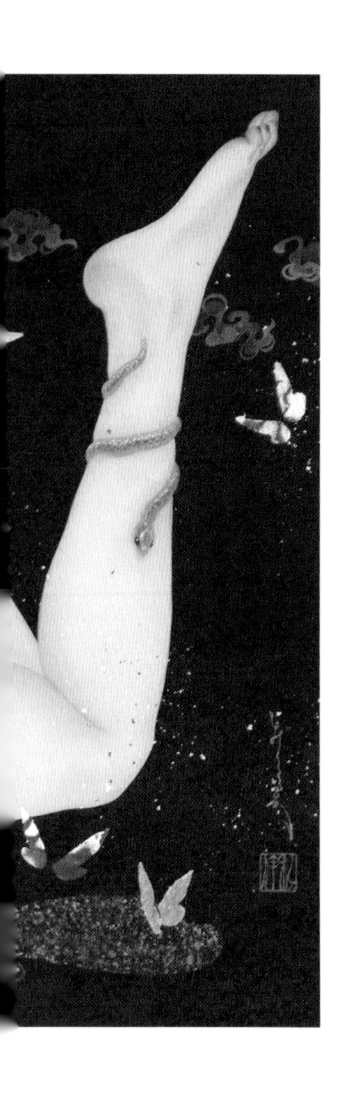

★《雫の気晴らし》2023年、300×300mm、アクリル絵具・岩絵具・水干・和紙

★《new》2023年、160×273mm、アクリル絵具・岩絵具・水干・和紙

★《demoness》2022年、300×600mm、アクリル絵具・岩絵具・水干・箔・和紙

だが、現在も一般的に「日本画」を考えるときには、ある程度、当てはまるだろう。だが、「日本画」という概念が生まれてから、次第に日本画と洋画は混淆してきた。日本画とされる画家たちが、洋画の影響で透視図法を使い、描写がリアルになり、他方、抽象表現も登場する。そして近年は、顔料のみならずアクリル絵具など、多様な画材を使うようになっている。もちろん油絵の画家が日本画的な表現に至る場合もあり、現在、支持体と画材や技法という点だけでは、区別しにくくなっている。つまりフェノロサのいった、写実、濃厚、複雑な表現は、日本画でも見られる。輪郭線については、日本画には朦朧体もある。だが、陰翳がないというのは、ほぼ残っているといえるだろう。その点からすると、日本画と洋画の違いを、平面的な表現と立体的な表現という違いで区別してもいいのかもしれない。

日本の絵画は、元来、襖などに描かれたものが元になっていると考えられる。鑑賞用の掛け軸が生まれる前に、襖や壁、扇面なども含めて、装飾として描かれたという点で、当初はデザイン的だったと考えることもできるだろう。そして、日本画とデザインの共通性はその平面性だろう。デザインは商業性、広告など、絵画それ自体の表現というよりは、それ以外の何かを表現するための手段だといえる。つまり日本画とデザインは、平面性という共通項を持ちつつも、目的が異なる。それ自体が目的である芸術表現の日本画に対して、他のものを表現する手段なのがデザインである。そこから考えれば、大島利佳は、デザイン科出身だが、自分の表現を見つけることで、手法として日本画的な表現方法を選択したといえるかもしれない。

肉感の柔らかさとアジア文化

大島利佳が描くモチーフは、少女の身体が多い。もともと受験生時代は、受験対策として手をモチーフにデッサンをすることが多く、多摩美術大学時代には、自主制作で手をモチーフに描いていた。彼女は、手のシワや肉感、表情に魅力を感じ、手の肉感の柔らかさに惹かれている。その柔らかさを描きたいと思い、手からはじまり、その柔らかさが人物、顔にも共通するものがあると気づいた。そして、藝大の先輩でもある加藤ゆわの人物画に出会ったこともあって、人物を描き始めた。人物のなかでも、柔らかさと相性のよかった対象が幼い女性で、そこから少女を描くようになったという。

大島作品には、独自の幻想性やアジア・レトロな雰囲気が感じされる。それはどこから来たのだろうか。大島にとって、その女性画を描くうえで、組み合わせとして登場しやすいのが和装だった。そして和装を描いているうちに、衣装の装飾に興味がわき、おもにアジア圏の伝統衣装を参考に自由に組み合わせた。それが独特の幻想性につながっているようだ。また、龍などの神獣についても、アジア圏の宗教や伝説など文化を参考にした結果、作品に登場することが増えた。さらに、彼女の作品にはレトロな雰囲気も感じられるが、それは意識したのだろうか。大島自身、レトロなものが好きなので、作品に合うものを探して、レトロな表現にたどり着いたようだ。そして描く人物の顔の特徴も、少し昔を感じさせる雰囲気とは、相性が良いと感じているという。

前述のように、大島は顔や手など、女性の身体の部分にこだわっている。そこからは、身体のほのかなエロティシズムも感じられる。大島は、図的なシルエットも好きなので、意図的に少し無理のある姿勢でポーズを作ることがある。そして、エロティシズムについては、人物の肉感をリアルに感じられるシルエットや描き込みに、そういった傾向があるかもしれないという。美しさというより、実感のある肉感を描くときには、エロティシズムは大切にしたい部分だが、幼い人物をイメージして描く際には、幼い愛嬌を大切にしたいので、エロティシズムとは結びつかないようにしたいと思っているそうだ。

表現の幅を増やしたい

そして、大島は、惹かれる美術家として、上村松園、藤田嗣治、加藤ゆわ、後藤温子、安藤正子、町田久美、美術家以外では、伊坂幸太郎、宇多田ヒカルを挙げた。後藤温子は、本誌file.19でも取り上げた。そして町田久美は、筆者が、東京・四谷三丁目のアートコンプレックスセンターでの美学校ギグメンタ二〇〇八に関わったときに、作品を展示し、その前で舞踏家の室伏鴻に踊ってもらったことがある。また、加藤ゆわ、安藤正子の作品には、大島と共通点を見ることができる。他方、上村松園と藤田嗣治も、平面性の中に独自の美を追求し、それぞれの極致に達している。それは、大島の目標とする存在なのかもしれない。

大島は、今後の制作は、これまでどおり新しいことに挑戦し、技術向上とともに、表現の幅を増やすことで自分の選択肢を増やしていきたいと語った。そして、将来、画集を発表できたらと思っているそうだ。大島利佳の今後の活躍に期待したい。

（志賀信夫）

●文＝並木誠

★《旅をする靴》2023年、230×310mm、鉛筆・水彩・アルシュ紙

記憶の中の還るべき場所

Sotaro Oka

SOTARO OKA

★《Parade―そして水の岸をあかるい箱が横切っていく―》2022年、310×410mm、水彩・メディウム・アルシュ紙

★《うつしよ》2021年、242×333mm、水彩・メディウム・UVグロスバーニッシュ・ウォーターフォード紙

★《(た) まくらのメア》2022年、213×320mm、水彩・ウォーターフォード紙

★《アダージョ》2023年、234×373mm、水彩・アクリル・UVグロスバーニッシュ・アルシュ紙

★《漂流のレテ》2021年、242×333mm、水彩・UVグロスバーニッシュ・ウォーターフォード紙

★《箱庭の夕べ》2022年、310×410mm、水彩・UVグロスバーニッシュ・アルシュ紙

★《Boys don't cry》2023年、242×333mm、水彩・アクリル・ウォーターフォード紙

★《浴葬》2023年、230×310mm、水彩・UVグロスバーニッシュ・アルシュ紙

深く思いを交わした人や場所、物への追憶を込めた作品たち

Sotaro Okaの画風は、幻想耽美でミステリアス、シュルレアリスム的で詩的な夢の残滓を思わせる。また散見されるヴィクトリア朝文化の嗜好などは、小学校5年生あたりから推理小説にハマり、かつて日本シャーロック・ホームズクラブ会員で正統なシャーロキアンだったことも影響しているのだろう。

gallery hydrangeaで行われたSotaro Okaの個展タイトル「日々の泡」は、同名のボリス・ヴィアンの小説に想を得たものだ。メインヴィジュアル『Parade―そして水の岸をあかるい箱が横切っていく―』は、同小説中で肺の中に睡蓮の蕾ができる病気に罹患した少女クロエを描いたもの。ほかに、少年時代、近所でゴム飛びやフラループで遊んでいた年上の少女たちを思い出しながら描いた『神隠しの庭』。枕の語源を魂蔵（たまくら）とする説から発想し、子供の頃から寝床に入ると不意に死後の世界について考えてしまい、気がついたら眠っているという経験から生まれた『(た)まくらのメア』など、いずれも印象深い作品だ。

Sotaro Okaは、南大阪の地で育つ。家の近くには、PL教団によって建立された、ガウディを思わせるような塔がそびえ立ち、今でこそ何の違和感もないが、幼い頃は、都会でもなく特別田舎でもない日常の風景の中に突如現れたその光景に、異質で不気味な感覚を覚えたそうである。これはいわば、日常に紛れ込む異界への通り道を見つけたような感覚であり、現在の作品の嗜好性などに通底するものがあると自己分析する。

また『うつしよ』のような海のモチーフがしばしば現れるが、そこには小学生の頃、夏や冬の長期休暇の際に逗留した、鳥取の母方の祖母の家の思い出が投影されているという。兄弟や従兄弟らと過ごした楽しい日々と日本海。もう会えなくなった祖母や従兄の姿、海の風や音や匂いが、いまでもOkaの還るべき場所への追憶を喚起している。

Okaは、主に鉛筆画と水彩で描く。創作を始めたのは2017年で、絵は中高の美術授業で習った程度の完全に独学。ラフをほとんど描かず、何度も鉛筆の下書きを書き直し紙が痛むこともしばしばで、効率の悪さは自覚しているが、なぞらずに新鮮さを保ったままの下書きや、水彩の失敗できない緊張感、衝動性に魅力を感じているそうである。独特の淡い色彩や計算外の滲み、そしてそれらをコントロールする学びや楽しみあるという。作品としての鉛筆画はここ一、二年に始めたもので、デッサンを学ぶつもりだったが、鉛筆のモノクロームの表現、濃淡の魅力に憑りつかれた。その興味は、自身の幅を少し広げることに繋がったという。

絵画鑑賞にとくに親しんだり、影響を受けたこともほとんど無く、あえて言えば20代に出会った宇野亜喜良、酒井駒子、エドワード・ゴーリーといった絵本作家やイラストレーターたち、楠本まきや萩尾望都、鳩山郁子、漆原友紀らの漫画の影響があるかもしれないという。映画は昔から好きで、Okaは夢現の物語の情景や、それに伴う表情やまなざしを一瞬で切り取るという意識で絵を描くことが多いが、深く強く印象づけられる一瞬のイメージや余韻は映画からとても影響を受けているという。例えば、ホセ・ルイス・ゲリン『シルビアのいる街で』、フランソワ・オゾン『スイミング・プール』、キャメロン・クロウ『バニラ・スカイ』、ジム・ジャームッシュ『ナイト・オン・ザ・プラネット』、黒沢清『ダゲレオタイプの女』、レオス・カラックス監督作品、ヤン・シュヴァンクマイエル監督作品、デヴィッド・リンチ監督作品など。

Okaは言う。「儚さや死、残響に浮遊などを扱った作品が多いのは、日常生活において出会った人々、数多くはありませんが深く思いを交わした人や場所、物たちへの念のようなものを抱え引き摺るように生きているからだと思います。しか

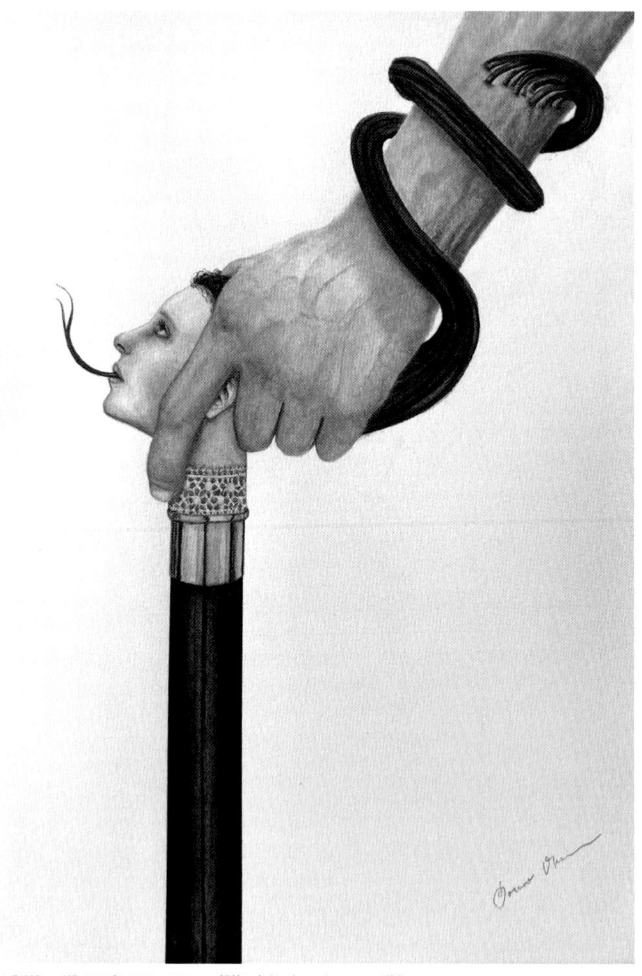

★《メドゥーサ》2023年、242×333mm、鉛筆・水彩・ウォーターフォード紙

★《オディール》2023年、242×333mm、鉛筆・水彩・ウォーターフォード紙

★《池》2023年、242×313mm、鉛筆・アクリル・ウォーターフォード紙

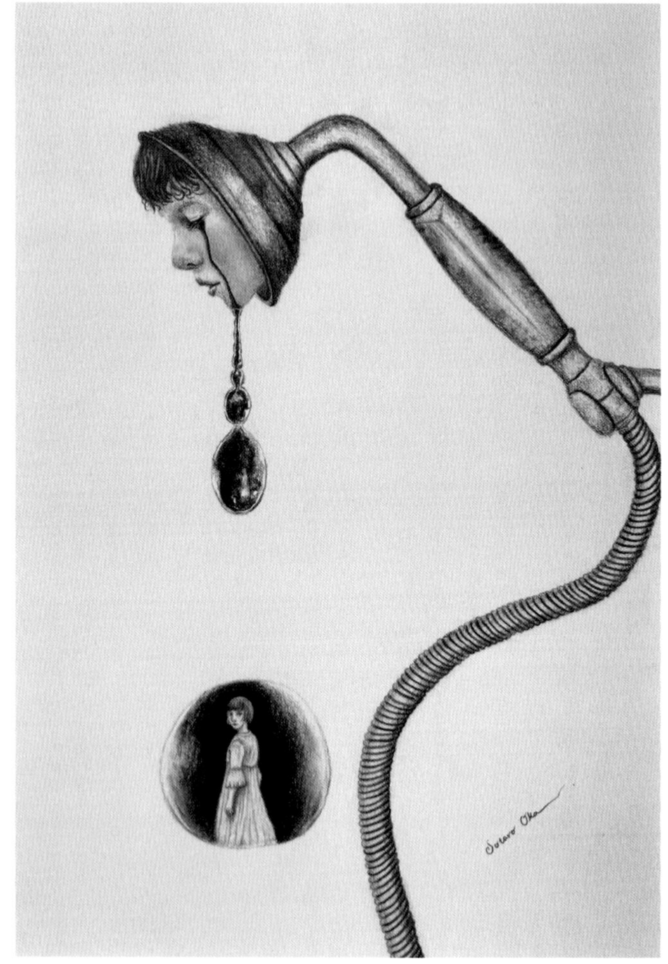

★《浴室のシダレヤナギ》2023年、242×333mm、鉛筆・ウォーターフォード紙

★《神隠しの庭》2023年、242×333mm、水彩・顔彩・ウォーターフォード紙

しそれでいて、無意識の中で薄れたり忘れてしまう薄情さ、空虚さも感じています」。そこにOkaの芸術家としての繊細さ、多感さを思わせる。さらにOkaは続ける。

「私は男性性であることに間違いないですが、心の奥底にはいつも少女がいて、それは小さな囁きとして絵に現れます。日常の隙間、特に夜のあいだにその少女は、現在と過去、出会いと別れ、生死、夢現の境目の小道を見つけて私に呼びかけてきます。女々しいねと少女は笑って、やはり私は未熟な男の子だと思い知りながら、スキップするように駆ける後ろ姿を追いかけます。

孤独というものは素敵です。髪を引っ張られるように私は絵を描きますが、絵を描いて発信することが私の前進、進歩である気がします」。

心の奥底にいて自分のなかの自分を見つめる少女。それはOkaの中のアルターエゴ、つまり別の、客観的な自分のような存在なのだろう。「髪を引っ張られるように描く」とは、なんらかの疑念的な回顧であろうか。だが描かなければ前進できないというもどかしさは同時に、喜びでもあろう。

Sotaro Okaの幻想耽美な作品世界、それは残留思念や想念の幻視的な残滓であり、白昼夢的な夢魔であるのだ。

（並木誠）

●Sotaro Oka出品予定
企画グループ展「秘密のゆりかご」
23年10月20日〜24年1月21日
場所／韓国・CONT.GALLERY

※ Sotaro Oka 個展「日々の泡」は、2023年6月15日〜19日に、東京・曳舟のgallery hydrangeaにて開催された。

失った夢や希望・幻想を蘇生させる

◉文=志賀信夫

★《蘇生するユニコーン》2014年～（ongoing）、165×138×50cm、樹脂・シリコン・毛・電動ポンプ・エアーコンプレッサー他

平野真美

HIRANO MAMI

★WHITEHOUSE ナオ ナカムラでの個展「架空のテクスチャー」の会場風景

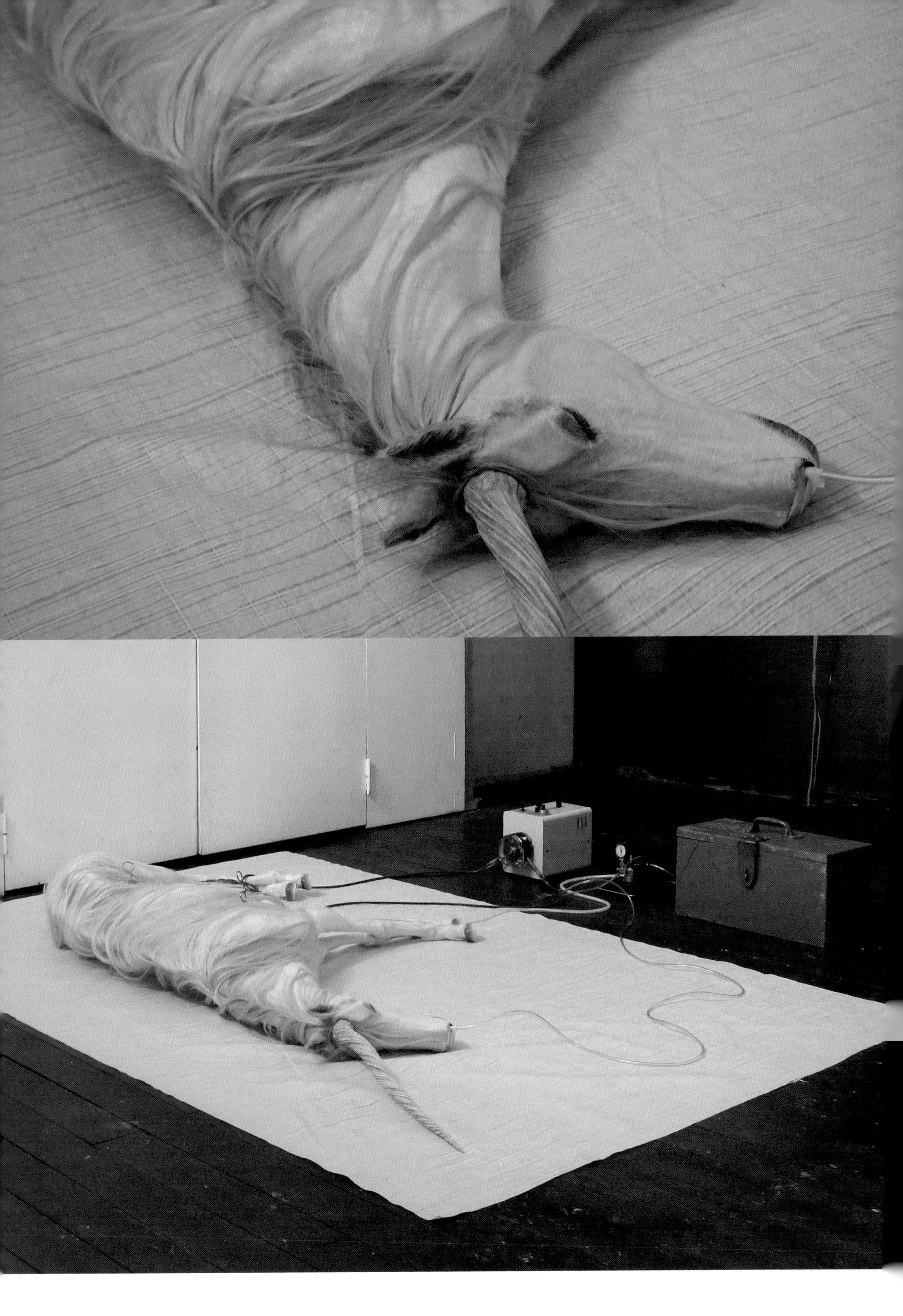

★WHITEHOUSE ナオ ナカムラでの個展「架空のテクスチャー」の会場風景

生の意味を探るために
骨から作り
肺に空気を送り
血液を循環させる

持病を抱えた愛犬が出発点

衝撃的な瀕死のユニコーン。「こ、これは、何?」と思わせる。平野真美の作品はインパクトのみならず、そのコンセプトも含めて、とても興味深い。それは、一つにはこの作家の心理を表現しているからだろう。彼女の注目の展覧会が、東京・新宿のギャラリー「WHITEHOUSE（ナオナカムラ）」で開催されたので取材した。

平野真美は、幼いころから絵を描くことや立体造形が好きで、当時は現代美術のことは何も知らずにさまざまなものを作っていたという。中学校で美術部に入ることも、高校で美術科や予備校に通うこともなく、中学では何をやってもいい「文化部」で、高校も「自由になんでも作れそう」という理由で工業高校に通った。工業高校はデザイン科だったが、彫刻や絵画に限定されないもの作りの基礎を広く学べる環境で、いまでも「入ってよかった」と思っている。そして、大学もデザイン科を考えたが、グラフィックデザインの視覚表現科ではなく、これも「なんでもやってよさそう」という理由で、名古屋造形大学情報デザイン科に入った。

平野が現代美術について知ったのは大学に入学してからで、大学の図書館で美術雑誌や本を読み、どんどん好きになっていった。この情報デザイン科は教員との距離が近く、メディアアートを学ぶ大学院大学「IAMAS」出身の講師が多く、現代美術に興味を持った平野を親身に指導してくれた。だが、大学ではいろいろ経験しつつも、まだ作品と呼べるようなものは作れなかった。

そして、次に東京藝術大学の先端芸術表現科で学ぶ。そこでは、同時代、同世代の作家が「いまどんなことを考えていて、どういう活動をしているか」を話し合いながら、自分はどうするかを考えなければならない環境で、とても刺激的だったという。

その一方、初めての一人暮らしで、実家に残した持病を抱えた愛犬「りんご」のことが心配だった。実家に帰るたび、これで会うのが最後になるかもしれないと思うとなかなか離れられず、自分ができることを探すうちに、「私が作ろう」という気持ちになり「保存と再現」という作品（二〇一三年）の制作を始めた。それは、何かしたいという気持ちと、これしかできないという気持ちからだった。

命を保存し、再現すること

平野は二〇一五年、自作について次のように綴っている。

彼女（引用者注＝愛犬の「りんご」のこと）は五年前から骨髄の病気にかかり、自分で歩いたり、食べたり飲んだりができない寝たきりの状態にある。視力がなく、聴覚はあるかどうか分からない。（中略）

そして、彼女の身体の正確な大きさや、身体の構成ついて調べ始めた。彼女の骨格や内臓、筋肉や皮膚など、彼女を構成する要素をできる限り全て制作することで、彼女の今の姿

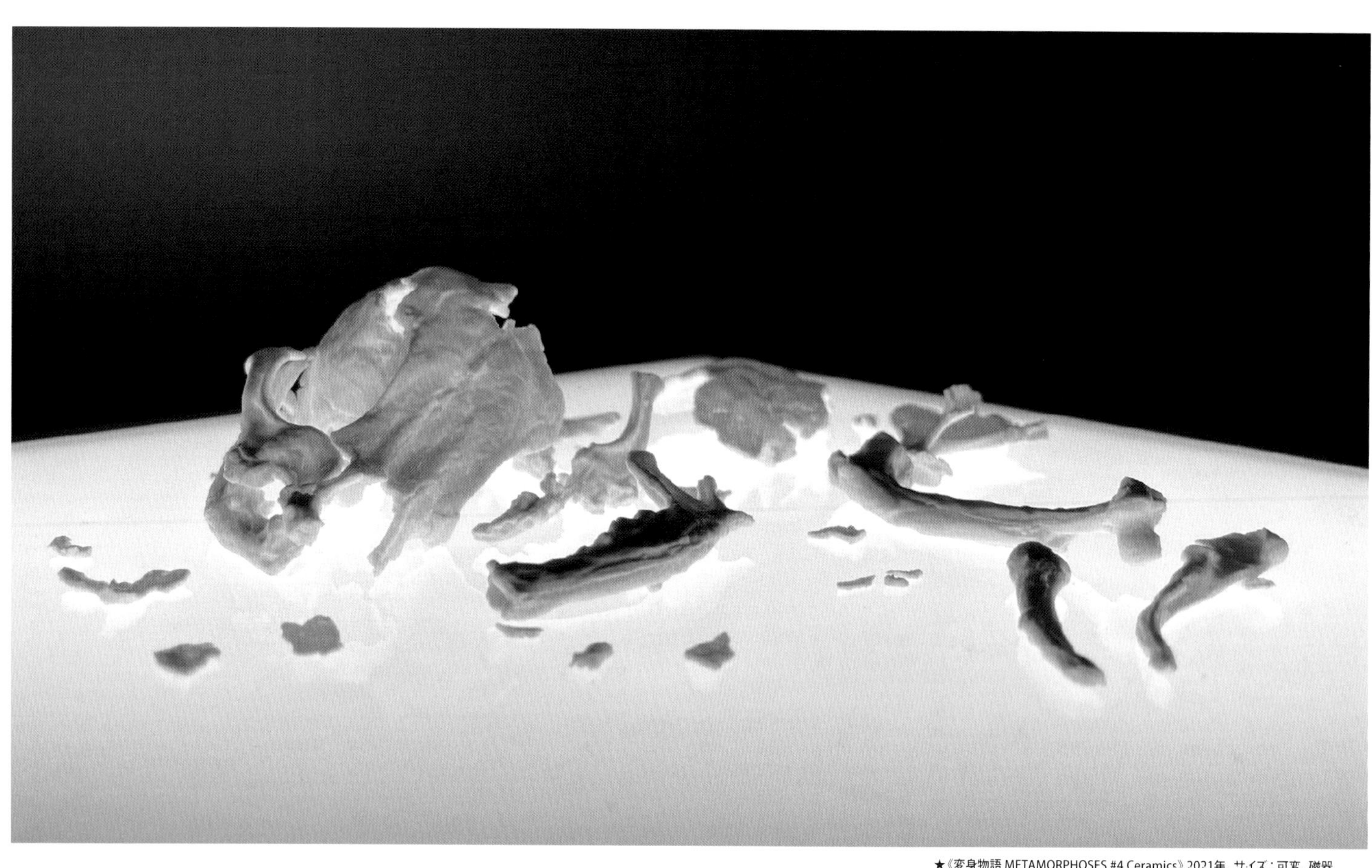

★《変身物語 METAMORPHOSES #4 Ceramics》2021年、サイズ：可変、磁器

を現世に保存しようと考えたのである。また、制作によって彼女の姿を保存できたら、制作した肺に人工呼吸器を繋ぎ、呼吸する姿まで再現しようと考えた。（中略）

内臓や筋肉、皮膚を制作し、肺には人工呼吸器のかわりになる小さなエアーコンプレッサーを繋いだ。空気を肺に送り込み、腹部が一定間隔で上下すると、だんだんエアーコンプレッサーの熱が移り、犬の身体が暖かくなってきた。（中略）

生きる彼女を保存しようと作った犬のはずが、なぜか、彼女のほうが作品の犬に近づいていく。制作当時より、衰え弱り死に近づいた彼女のほうが、作品の犬にとてもよく似ている。

制作中の作業机の上は、一見すると解剖実験をしているようで、この犬を生かそうとしているのか、それとも殺しているのか分からなくなるような瞬間があった。

このように平野は、愛犬が寝ている隙に身体を採寸して設計図を作ったり、骨格を作ってみたり、筋肉を作るために柔らかいゲル状の素材を扱ったり、毛を植毛したりという一連の作業を行った。病気の犬を生かしている身体の仕組みこそ重要に思えたので、制作は骨格から、身体の内側から外側へとスタートした。どんどんできあがっていく作品を見て、うれしいような、怖いような、自分はとんでもないことをしているのではないかというような、不安の方が大きかったという。

それはどういうことだろうか。りんごを生かすための作品としてつくった犬。それは、死に近づくりんごを見ていたからこそ、命を生み出すことのように思えたのだろう。それは一種、大それたこと、死を自分の手で扱う怖さということかもしれない。

平野は作品を作る際、自分にルールを設定するようにしている。この愛犬「りんご」をモチーフにした作品「保存と再現」では、「自分がしていることを、だれにでも言葉で説明できること」と、「家族を傷つけない」ことをルールにしていた。この二つは現在も大事にしていて、特に「言葉で説明する」ことについては、「自分が何を思い何をしたか」ということだけは話せるようにしているという。

ユニコーンを蘇生する

愛犬の次に平野が取り組んだのが、「蘇生するユニコーン」プロジェクトだ。この作品について次のように記している。

非実在生物であるユニコーンの、骨格・内臓・筋肉・皮膚など身体を構成するあらゆる部位を制作する。制作した内臓を肋骨で覆い、骨格に筋肉を被せ、血管を張り巡らせて皮膚を縫合する。そうして架空の生物であるユニコーンを実在させる。

制作したユニコーン体内の心臓と肺に生命維持装置をつなぐ。肺に空気を送り、心臓と血管に液体を流し、呼吸と血液循環を行うことでユニコーンを蘇生する。

幼い頃実在すると信じていた架空の生物は、今は実在しないと分かっている。存在を否定されたその生物は、現実世界で居場所を失い人々の脳内で息絶え屍となって横たわっている。私は出来る限りの制作を行い、純真さの象徴であるユニコーンを自らの手で実在させ、心臓に血を流し肺に空気を送り息を吹き返させる。それは私達が気付かぬうちに失った夢や希望・幻想を蘇生させる瞬間である。

ただ平野は、特別ユニコーンに思い入れがあるわけではなかった。ユニコーンは古くから犠牲や迫害の対象であり、傷ついた姿で絵画や物語に登場することが多いと感じている。最初に頭に浮かんだのは、生きているのか死んでいるのかわからないような、横たわる痩せたユニコーンの姿だった。だが、ではどうしてこのユニコーンは瀕死状態なのか、この状態にだれがしたのか、自分が思い浮かんだのなら、自分がこの状態にしてしまったのではないか、と考えるうちに、このユニコーンを実在させて、蘇生したいと思うようになり、ユニコーンの制作がスタートした。

ユニコーンが象徴するもの

では、人はなぜユニコーンに惹きつけられるのだろうか。ユニは一つ、コーンは角なので、「ユニコーン」とは一つの角を持つ動物という意味だ。ユニコーンについての記述は紀元前から、そして世界各地にある。おもな伝説によれば、きわめて獰猛、勇敢で、足の速さはウマ、シカ以上。角は何でも突き通す。その角は水を浄化、毒を中和し、あらゆる病気を治す力を持つ。またユニコーンは乙女に思いを寄せ、美しい処女を一人にすると、処女の香りを嗅ぎつけたユニコーンが、膝の上に頭を置き眠り込んで捕まる。そのためユニコーンは貞潔を表わし、処女受胎からキリストにもたとえられたが、その姿や獰猛さからか、悪魔や七つの大罪の「憤怒」の象徴にもなったという。ヴォルテールは、「この世で最も美しい、最も誇り高い、最も恐ろしい、最も

★《保存と再現》2013年、13×40×25cm、ウレタン・羊毛・エアーコンプレッサー他（下の写真はその部分）

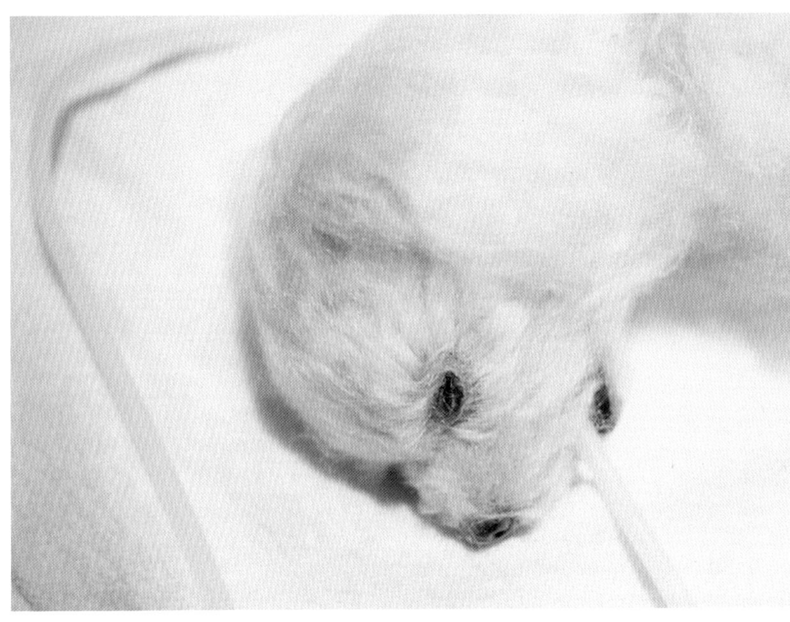

優しい動物」と述べている。

多くの人がユニコーン伝説に詳しいわけではない。ただ漠然と、幻想的動物であり、美しいというイメージが普通だろう。タペストリーに描かれたユニコーンや、ドラマ、アニメ、マンガやイラストのユニコーンなどを想像し、夢や幻想を象徴する、それもプラスのイメージが喚起されると思われる。

ユニコーンはこのように神話的動物である。平野は、幻想、伝説、永遠などついてどう考えているのだろうか。彼女は、人間が抱く幻想や永遠を願う気持ち、夢や希望などは、ほとんど禍々しく怖い、不安定で傷つきやすいものだと思っている。それらの象徴としてユニコーンを扱っているので、ユニコーンは可愛くて綺麗な状態ではなく、瀕死でギリギリ生きているような状態で、しかも内臓が露出した状態で展示しているのだ。

それでも彼女は、ユニコーン（夢や希望）の実在を願い、どんな人にとっても世界がよりよくあるよう目指し、夢や希望を持ち続けようと努力する姿、それこそ人間だと思うと述べた。

そして、「保存と再現」や「蘇生するユニコーン」を展示すると、鑑賞者が、家族を看病し看取った話をしてくれることが本当に多かったそうだ。初対面の見ず知らずの平野に、そんなプライベートな話をすることに最初は驚いたが、家族など距離が近い人にほど、わざわざ話せない話もあるのかもしれないという。また、さまざまな展示会場の監視員が、深く思い入れを持って作品に接してくれたそうだ。

死を通して生の意味を探る

その後、愛犬「りんご」は亡くなる。そして、「変身物語」（二〇一八年）の制作が始まる。

「りんご」が亡くなった後、火葬した遺骨は骨壺に入れられ、長い期間実家の居間に置いてあった。平野の姉たちが結婚し家族が増えたり、父が闘病の末亡くなったり、家の状況がさまざまに変化するなかで、この骨壺だけが変わらず置いてあるように思えた。骨壺の蓋を開けたい気持ちもあったが、骨壺の中には当時の家族の空気が詰まっているようで開けることができず、しかし中の様子を知りたくて、家族の許可をとり、蓋を開けずに中の様子がわかるCTスキャンで撮影することを思いついた。

平野は、撮影したデータを3Dデータ化し、3Dプリンタで出力してそれを原型としてガラスや陶器製の遺骨を作り、元の身体のとおりに骨同士を金継ぎした。平野は、長い間変わらなかった遺骨を別の姿に変えていくことを受け入れられたら、骨壺への執着や家の変化を受け入れられるだろうと思った。そういった経緯で「変身物語」という作品を制作していった。これについては、平野は次のように記している。

　現代の葬制は死を日常生活から遠ざけ、やがて死者は社会に実在しなくなった。
　重い墓石のなか、骨壺のなかに覆い隠された死者を、私の葬法で繰り返し変身させ、私は死者を失わない。その変身の過程を見せる物語である。

「蘇生するユニコーン」と「変身物語」は、現在も進行中のプロジェクトである。平野は、「変身物語」で犬の遺骨の形状をよく知ることができたので、その形状の知識を元に「蘇生するユニコーン」の骨格を作り直そうと思った。そして、新しい設計図を描き、二〇二三年二月に、神楽坂のギャラリー、Maki Fine Artsでの個展「空想のレッスン」で発表した。また、その設計図を元に骨格の制作がスタートしており、頭蓋骨を二三年八月に、新宿のギャラリー、WHITEHOUSE（ナオナカムラ）での個展「架空のテクスチャー」で発表した。彼女は、今後もこの「蘇生するユニコーン」の制作を進めて行く予定だ。

平野は、「りんご」の死の過程に接したことで、死と生をリアルに感じさせる作品を生み出した。さらに、幻想的存在であるユニコーンを、幻想を失うことで死に瀕した存在として、それをギリギリの状態で生かそうとした。さらに、骨壺の中のりんごを想像・透視することで、新たな存在を生み出そうとする。

このようにして、平野が「蘇生するユニコーン」と「変身物語」で示しているものは、人間の希望と夢だろう。死や死体を通して生の意味を探り、そして人間の愛を表現している。そんなふうに思えるのだ。元々、平野の「りんご」に対する愛から始まったプロジェクト、作品づくりだ。そしてユニコーンは、獰猛で優しく、純潔を象徴するが恐ろしく、生と死という相反するものを示している。それゆえに、見る人のそれぞれの想いや愛が投影されて、美術作品以上の存在に感じられるのかもしれない。（志賀信夫）

FILE.38-04

●文＝沙月樹京

★《宇宙ロボット通信》2023年、333×333mm、アクリルガッシュ・岩絵具／和紙・木製パネル

中島華映

NAKAJIMA HANAE

宇宙やロボットに夢を詰め込む

★《水槽式ターミナル》2023年、380×455mm、アクリルガッシュ / 和紙・木製パネル

★《ウサギ観測ドリンク》2023年、318×410mm、アクリルガッシュ / 和紙・木製パネル

★《エネルギー交換ユニットⅠ》2023年、227×158mm、アクリルガッシュ / 和紙・木製パネル

★《エネルギー交換ユニットⅡ》2023年、227×158mm、アクリルガッシュ / 和紙・木製パネル

★《甘い銀河中継》2023年、242×333mm、アクリルガッシュ / 和紙・木製パネル

★《星受信ロケット》2023年、220×273mm、アクリルガッシュ / 和紙・木製パネル

★《双子星の案内所》2023年、333×242mm、アクリルガッシュ / 和紙・木製パネル

★《重力接続》2023年、220×273mm、
アクリルガッシュ / 和紙・木製パネル

★《星生成装置》2023年、242×333mm、アクリルガッシュ / 和紙・木製パネル

★《星旅行》2023年、727×606mm、アクリルガッシュ / 和紙・木製パネル

宇宙への憧れを時代や国を超越した服装・メイクに投影

なんともユニークな個展だ。タイトルは「宇宙ロボット通信」。「幼い頃から常にそばにあった夢であり、憧れ」だったという「宇宙」と、その夢に近づくための手段としての「ロボット」。それらをテーマに、少々奇妙で、しかし華やかさのある世界を描き出した。

宇宙や科学をテーマにしたアートというのは、さほど一般的ではないかもしれないが、珍しいというほどでもないだろう。しかし中島華映の作品がユニークに見えるのは、そもそも中島が、女性美を描き出すことが多く、美人画の類にくくられることもある作家だからだろう。しかも美人画的とはいえど、現実のモデルを写実的に描写するのではなく、描くのは、不思議なメイクを施し奇妙な衣装を着せた女性像だったりする。「どの時代、国にも属さないような服の装飾・メイクを纏った人物」が作品テーマなのだ。

その発想が、宇宙やロボットへと延長されたのが、今回の個展なのだと言えるのではないか。宇宙への想像力をファッションとして女性に纏わせた作品たちなのだ。考えてみれば宇宙服などは、もっとも時代や国に縛られないファッションだといえる。だからおそらく、中島にとって今回の個展の作品群の発想は、これまでの作品となんら変わることのないものであるにちがいない。

艶めかしい表情とメイク、女性が纏うアナクロ感ある装置。しかしその一方で、背景などは平面的で、不思議な文様のようなものが描かれる。それら文様等が作品を現実的なリアルさから逸脱させ、ある意味、ファッション画のような洒脱さで彩る。

少々懐かしさを感じさせるアナクロ感と、未来への夢が混交する世界。服やメイクの表現を超越して、これらの作品は、時空の果てへの希望を観る者にもたらしてくれるのではないか。

（沙月樹京）

★《光保存食》2023年、318×410mm、アクリルガッシュ / 和紙・木製パネル

※中島華映 個展「宇宙ロボット通信」は、2023年6月10日〜28日に、大阪・中崎町のSUNABAギャラリーにて開催された。

NAKAI MUSUBU

中井 結

◉文＝沙月樹京

純粋で刹那的な欲望の発露

世界の おわり

★p.38〜42および上は、中井結の作品

「世界のおわり」の予感の中で 生を謳歌する者たち

たとえば、「世界のおわり」という文字が見える。41ページの上の作品とか、40ページの作品とかに。41ページの上の作品は、マスクをした少女が、別の少女の鼻に綿棒らしきものを突っ込み、おそらく新型コロナウイルスの検査をしているだろう。画面左側には、終末を悲観したのだろうか、悲しげに抱き合う少女。中央に描かれた瞳も涙を流している。窓の外にも、空から涙のようなしずくが。そして「世界のおわり」を告げる虹。絶望の中、その悲しみとともにエロスが溢れ出し、不思議な叙情を醸している。

中井結は、エロスが惜しげもなく解放されたユートピアを、シンボルを散りばめたコラージュ的な画面構成で、超現実的に描き出してきた。そのユートピアはもともと刹那的な印象を与えるところがあり、快楽に溺れていても、その背後には、死の予感が垣間見えたりした。だから「世界のおわり」のフレーズは、その指向性を明示したものだとも言えるかもしれない。

中井結が今度出版する画集のタイトル『はじまりとおわりと、そのあいだ』は、邪推ではあるが、そこからはやはり、「おわり」が強く意識されていることを感じ取ってしまう。おそらく中井は、「おわり」に至るまでの「あいだ」で繰り広げられるエロスの饗宴――「おわり」の予感の中で生を謳歌する者たちの純粋な欲望の発露を描き続けてきたのではないか。そしてその「あいだ」が永遠に続くことを願い続けているのではなかろうか。その刹那の世界をこの画集で、そして出版記念の個展でぜひ味わってみてほしい。

その個展では、ゲストとしてPaulと麻子も出品する。

（沙月樹京）

◉中井結個展
「はじまりとおわりと そのあいだ
―welcome to the world―」
2023年10月26日（木）〜31日（火）
12:00〜20:00（初日は17:00〜）
入場料／500円
（会場の物販、最大500円引き特典つき）
場所／東京・原宿
デザインフェスタギャラリー WEST 2A
https://designfestagallery.com/
Tel.03-3479-1442

◉中井結 作品集
「はじまりとおわりと、そのあいだ」
2023年10月末発売予定
（発行：アトリエサード／発売：書苑新社）
※上記個展会場にて先行販売!

★Paul

★麻子

★きりすみさ

★硝子がひかり

★YANNIS ANGEL

★Gorgeoushell Dalida

このページは
グループ展「迷想と恍惚4」より

★スリラーキャンディ

★朱宮垂狐《月のものくるひ》／写真：八嶋十三

ユニークな世界観を表現する作家たちの展示

中井結の個展と同時期に、同じデザインフェスタギャラリーの隣室で、朱宮垂狐個展とグループ展「迷想と恍惚４」が開かれる。人形作家・朱宮垂狐は、約４年ぶりの個展（本誌file.22でも紹介）。新作《月のものくるひ》は、月岡芳年による浮世絵の連作「月百姿」でも描かれた、愛する者を失い手紙を手に徘徊するようになった女性のエピソードに着想を得たものだという。

「迷想と恍惚４」は、自身の中にうごめく世界を、ユニークな世界観で表現している作家の５人展。中国の新進アーティスト、スリラーキャンディ、フランスの写真家YANNIS ANGEL、スペインの画家Gorgeoushell Dalidaと、日本の硝子がひかり、きりすみさが出展する。

（沙月樹京）

◉朱宮垂狐個展
「天国に結ぶ戀」
入場料／300円
（会場の物販、最大300円引き特典つき）

◉グループ展「迷想と恍惚4」
入場無料
参加作家／スリラーキャンディ、硝子がひかり、きりすみさ、YANNIS ANGEL、Gorgeoushell Dalida

以上いずれも
2023年10月26日（木）～31日（火）
12:00～20:00（初日は17:00～）
場所／東京・原宿
デザインフェスタギャラリー WEST
（朱宮垂狐個展は2B、「迷想と恍惚4」は2C）
https://designfestagallery.com/
Tel.03-3479-1442

伝統刺青VS近未来的エロス

◉文＝ケロッピー前田

HORIYOSHI III 三代目彫よし × 空山基 SORAYAMA HAJIME

★三代目彫よし

★空山基

SACER
SACRILEGUS

★三代目彫よし

★三代目彫よし

★三代目彫よし

★三代目彫よし

★空山基

日本から世界に発信する二大巨匠、9年ぶりの競演！

来たる10月11日から、日本伝統刺青を代表する三代目彫よしと、セクシーロボットで世界的な脚光を浴びる空山基という、二大巨匠による9年ぶりの展覧会が開かれる。

三代目彫よしによる二人展『狐狼展』のシリーズは、2013年、親友の絵師・小妻要が逝去したことをきっかけに生前果たせなかった二人展を、追悼も兼ねて開催したことから始まった。年一回開催を恒例としていたが、今春、小妻との二人展という原点に立ち戻った。そして、小妻に続く第2回目のゲストとして登場した空山基との競演が、今回再び実現する。

三代目彫よしは、現在は御子息に四代目を譲り、仁王を名乗っており、伝統刺青の世界を絵画作品として存分に見せてくれる。

空山基は、スーパーリアルのイラストレーターとして一世を風靡し、「セクシーロボット」を武器に世界に大きくその名を轟かせている。近年は、ディオールとのコラボレーション、最高級時計メーカー「ロジェ・デュブイ」や「ブルガリ」のデザイン、人気シンガー「The Weeknd（ザ・ウィークエンド）」のワールドツアーに巨大なセクシーロボットの立体作品を提供するなど、その活動は多岐にわたっている。一方で最新の作品集『ガイノイド・ラウトロニクス』では、改めてエロティシズムに大胆にアプローチしている。

この二大巨匠が拓く未来のヴィジョンを目撃されたい。

（ケロッピー前田）

★三代目彫よしと空山基／2014年『狐狼展』にて

◉三代目彫よし × 空山基
「狐狼展」
2023年10月11日（水）～16日（月）
11:00～17:30
場所／アートギャラリー道玄坂
https://www.artshibuya.com
Tel.03-5728-2101

●文=沙月樹京

★《そろそろ降りるよ》2023年、318×410mm、アクリル・グロスバーニッシュ / ケント紙・木製パネル

★（左頁）《個人25》2023年、410×410mm、アクリル・グロスバーニッシュ / ケント紙・木製パネル

吉田有花

YOSHIDA Yuuka

過去と現在など
異質なものが同居

★《すこやかな部屋》
2021年、
652×530mm、
アクリル・グロスバーニッシュ / ケント紙・木製パネル

有頂天
けんこう
ある

★《個人29》2023年、318×410mm、アクリル / キャンバス

★《個人28》2023年、242×333mm、アクリル / キャンバス

★《友達がくるまで》2022年、333×242mm、アクリル・グロスバーニッシュ / ケント紙・木製パネル

★《軒下》2023年、240×190mm、アクリル・グロスバーニッシュ / キャンバス

★《バナナジュース》2023年、410×318mm、アクリル・グロスバーニッシュ / キャンバス

★《インフルエンサー》2023年、380×455mm、アクリル / キャンバス

★《甘味レーダー》2023年、242×333mm、アクリル・グロスバーニッシュ／ケント紙・木製パネル

レトロなものたちが醸し出す存在の実体感

吉田有花は、小誌でも何度か紹介してきた。レトロなものが画面の隅々にあふれ、大きな丸い目をした少女らが、どことなく力が抜けた感じで、だらっと何かをしている。昭和的な昔の世界を描いていると思いきや、スマホを使っていたりして、過去の時代というわけではないらしい。《個人》のシリーズの背景を埋め尽くしたり、しばしば画面上に現れる太い線で描かれた顔のようなものは、SNSのアイコンやスタンプのようなものだといい、現代ならではの表象も描き込まれているのだ。

このように、レトロと現代性が混ざりあった世界が、まるでマゼンタのフィルターを通すかのような色調で描かれているのが吉田の作品の特質だ。

色調に関して言えば、多くの人が過去をイメージするのはセピア調だろう。モノクロ印画紙が経年劣化することで現れてくる色合いであり、それゆえその色調が、失われた過去を連想させるものになった。しかし吉田は、レトロな要素で満たしながらも、色調はセピアにはしなかったのである。それは想像するに、画面に描かれたレトロなものたちは、決して失われた過去のものではないからなのかもしれない。デジタル社会においてレトロなものたちは、この世界や自分自身の存在を実感させてくれるものなのではないか。とするならそれは、過去の郷愁ではなく現代を生きるためのよすがなのである。SNSのアイコンのような顔も、ネットの向こうの存在を、実在感ある実体として表現したかったのではないか。

そうしたユートピアが、並行宇宙のようなところで存在してほしいという願いが、マゼンタの色調に託されているのではないか、そんなことを思った。

（沙月樹京）

※吉田有花 個展「窓の外」は、2023年7月29日～8月9日に、大阪・中崎町のSUNABAギャラリーにて開催された。

◉文＝沙月樹京

★《マラアイ》2023年、242×333mm、油彩・アクリル／木製パネル

無意識に任せて描く幻想

傘嶋メグ KASAJIMA MEGU

★《アイラ》2023年、242×333mm、油彩・アクリル / 木製パネル

★《ヴェガ》2023年、242×333mm、油彩・アクリル / 木製パネル

★《ウィッテ》2023年、242×333mm、油彩・アクリル / 木製パネル

★《シャオリン》2022年、242×333mm、油彩・アクリル / 木製パネル

★《マヤ》2023年、242×333mm、油彩・アクリル / 木製パネル

★《聖子》2021年、190×333mm、油彩・アクリル / 木製パネル

★《グレタ》2023年、190×333mm、油彩・アクリル / 木製パネル

★《イネス》2023年、190×333mm、油彩・アクリル / 木製パネル

★《しず系》2023年、190×333mm、
油彩・アクリル / 木製パネル

★《ヴェネツィアの獅子》2022年、240×160mm、色鉛筆 / ケント紙

★《エキドナ》2022年、150×245mm、色鉛筆 / ケント紙

超現実的な光景の中で
力強い存在感を放つ
女性たち

★《アリス》2022年、242×333mm、油彩・アクリル / 木製パネル

傘嶋メグが今回の個展で発表したのは、主に女性像。くっきりとした目鼻立ちと肉感的な身体。自信のようなものが漲っている。その女性は堂々と裸体を晒すことがある一方で、少々幾何学的な形状の服を身に纏い、または唐突な枠組みなどで分割され、そしてシンボリックな模様や草花などで飾られる。そうした、超現実感のある光景の中で、女性たちは、存在感をきらめかせている。

これらの作品は、無意識に任せて描いているのだという。何を描くか決めないまま、自由な連想を働かせて画面を埋めていく。「頭をまっ白にして聞こえる音や音楽に触発されたイメージを形にしていく。そうして生まれた女性たち」なのだ。

無意識に任せ、といっても、描くものは抽象的なものではなく、あくまで具象で、それらが奇妙に縫合されて超現実的とも言える光景を生み出しているのが、傘嶋ならではの世界だ。しかもその奇抜さは、実にさまざま。以前小誌で紹介（file.18, 28）したものと比べると、今回は女性の存在そのものに焦点が当てられた分、奇抜さは控えめになった感じだが、女性の存在感がそれだけ際立ち、そのインパクトは十分観る者を魅了するだろう。

また、黒いケント紙に彫り込むように描くという色鉛筆作品も、油彩とは違った質感、表現で、異界的ともいえる世界を作り上げている。傘嶋は次々に違うイメージの作品を生み出している。その冒険はまだまだ続く。

（沙月樹京）

※傘嶋メグ 個展「Muse」は、2023年4月29日～5月10日に、大阪・中崎町のSUNABAギャラリーにて開催された。

★展示風景／写真：吉成行夫（下も）

TOPICS

『暗黒メルヘン絵本シリーズZERO 王女様とメルヘン泥棒』出版記念原画展

物語作家と少女画家がコラボ

★黒木こずゑ／「王女様とメルヘン泥棒」より

★たま／「王女様とメルヘン泥棒」より

★鳥居椿／「王女様とメルヘン泥棒」より

★須川まきこ／「王女様とメルヘン泥棒」より

★深瀬優子／「王女様とメルヘン泥棒」より

★この見開きはいずれも展示風景／写真：吉成行夫

★「暗黒メルヘン絵本シリーズ」全5巻／右から「1 一本足の道化師」「2 夜間夢飛行」「3 青いドレスの女」「4 甘い部屋」「5 柔らかなビー玉」

いまの時代に変奏された暗黒のメルヘン

物語作家・最合のぼるによる「暗黒メルヘン絵本シリーズ」全5巻が昨年夏に完結。これは、国内外の名作童話に着想を得て生み出された、幻想ヴィジュアル物語だ。最合と、それぞれの巻で異なる幻想系少女画家が絵画を描き下ろしてコラボレーション。アンデルセン「みにくいアヒルの子」やグリム兄弟「灰かぶり」、ペロー「長靴をはいた猫」から「鶴の恩返し」などまでが、愛らしくも残酷さとシニカルさがまぶされた〝毒入り物語〟として大胆に生まれ変わった。

　その完結を記念して、最合と、5人の画家（黒木こずゑ、たま、鳥居椿、須川まきこ、深瀬優子）が再集結。すべての画家の描き下ろしを収録した新たな物語『王女様とメルヘン泥棒』が発売され、その原画展が開催された。

　原画展の会場は、画家5人の作品や、最合によるコラージュやオブジェなどがぎっしり。非常に贅沢で見応えのある展示になった。会期中には制作のエピソードなどを話すトークライブも開催、その様子や「暗黒メルヘン絵本シリーズ」の朗読などは、最合のYouTubeチャンネルで視聴できる（noboru moai youtubeで検索）。

　メルヘンや民話は、時代が変わっても長い間人々に読み継がれてきた物語だ。奇妙さや残酷さがあっても、いやそれらがあるからこそ、人々の琴線に触れてきたのだろう。そこに現代の社会状況やいまの価値観を挿入し、さらに奇妙で残酷な物語として作り上げたのが「暗黒メルヘン絵本シリーズ」だ。しかもタイポグラフィも駆使してヴィジュアル的にも楽しめるものになっている。いまの時代ならではのメルヘンの変奏をぜひ楽しんでほしい。

（沙月樹京）

★下は「暗黒メルヘン絵本シリーズZERO 王女様とメルヘン泥棒」、左上はシリーズ全5巻とZEROを収納できる特製ケース。全セット及び特製ケースは、ヴァニラ画廊で通販あり。

※『「暗黒メルヘン絵本シリーズ ZERO 王女様とメルヘン泥棒』出版記念原画展」は、2023年6月16日〜25日に、東京・銀座のヴァニラ画廊にて開催された。

◉文＝沙月樹京

★《あなたの庇護下で》2023年、158×227mm、透明水彩／水彩紙

この闇の中
永遠を過ごす

★《居心地の良い悪夢》2023年、203×254mm、透明水彩 / 水彩紙

★《甘美なるうつろ》2023年、318×410mm、透明水彩 / 水彩紙

★《オールドローズのゆりかご》2023年、318×410mm、透明水彩 / 水彩紙

★《DOLL’ S HOUSE》2021年、203×254mm、透明水彩 / 水彩紙

★《踊れない》2021年、203×254mm、透明水彩 / 水彩紙

★《青の肖像》2023年、158×227mm、透明水彩 / 水彩紙・パネル

★《赤の肖像》2023年、158×227mm、透明水彩 / 水彩紙・パネル

★《リボンをほどいて》2021年、158×227mm、透明水彩 / 水彩紙

★《insect cage》2022年、130×180mm、透明水彩 / 水彩紙

★《本物はだれ?》2021年、203×254mm、透明水彩 / 水彩紙

薄暗がりの空間に不安げに囚われるうつろな少女

花に埋もれ、しばしばリボンに拘束された少女たち。しかも、密室的な薄暗がりの中、ほんのりひとり照らし出されている。ここに掲載した作品の中では、《オールドローズのゆりかご》だけが外に開かれているように見えるが、しかしそこにいる少女も外をうかがうことなどせず、静かに目を閉じ、自分の世界に籠もっている。

瑠雪は、透明水彩によって、幻想世界に住まう少女を描き続けている。その少女の瞳は少々うつろ、ややもすると不安げで、《あなたの庇護下で》《insect cage》《リボンをほどいて》といったタイトルをからは、何者かによって囚われているかのような状況を想像させる。だがそれでもおそらく、その世界は少女にとって、甘美な居心地の良さも感じさせるところなのかもしれない。ゆるやかに絡まるリボンはすぐにほどくことができそうで、わざと絡まるままに任せているようにも思えたりするのだ。

さらに加えて、《リボンをほどいて》では、リボンがほどかれた下肢には足がなく、《踊れない》では手足が、分解された人形のようにバラバラになっている。その少女の存在自体がうつろなのであり、薄暗がりの世界の中で、ようやく存在を保っているのかもしれない。水彩ならではの濃淡で、そうした危ういバランス、存在のはかなさが繊細に表現されている。

《本物はだれ?》では、少女の周りに数多のウサギ。タイトルは、どれが本物のウサギなのかという問いかけなのだろうか。そして少女は、このウサギの導きで不思議の国へと脱出することを望んでいるのか。もしかしたら内心では、答えなど見いだせずに、永遠に薄暗がりに閉じこもっていたいのかもしれない——そんなことも思わせたりする。 (沙月樹京)

※瑠雪 個展「甘美なるうつろ」は、2023年7月15日～19日に、大阪・中崎町のSUNABAギャラリーにて開催された。

◉文＝志賀 信夫

★《カーラーの葉》1986年、171×261mm、エングレーヴィング

★《樹下》1986年、234×356mm、エングレーヴィング

門坂流 KADOSAKA Ryu

描いた線は、すべて正解

★《鳥の巣》1987年、236×161mm、エングレーヴィング

KADOSAKA Ryu

★《化石の貝殻》2002年、128×177mm、
エングレーヴィング

★《オークの巨木》2008年、244×185mm、
エングレーヴィング

★《オンディーヌ》2010年、315×235mm、エングレーヴィング

眼と手の運動が一体になり描き出される細密な線による「流れ」

「流れ」をとらえようとする

門坂流の作品は、近くに寄って見るべきものだ。というのは、作品が大きくないだけでなく、その細かさに見入ると、その魅力が浮かび上がり、そのミクロコスモス（小宇宙）に引き込まれるからだ。そしてそこには一種の「流れ」がある。

門坂作品を高く評価する人は多い。だが、門坂流は、残念なことに、二〇一四年に亡くなった。以前から気になっていた、その作品の秘密に迫りたいと思い、残された門坂の言葉や彼に対する批評などをもとに、夫人の極子さんにもお話をうかがって、考えてみることにした。

門坂流は、一九四八年、京都に生まれた。本名は門坂敏幸。六歳のときに、母親の実家があった滋賀県日野に移り住んで、少年期を過ごした。母親が働きに出るため、彼はひとりでカマドに火を起こしてご飯を炊き、母の帰りを待っていた。門坂は、こんなふうに述べている。

　新聞紙をぎゅっと捻ったので火を起こして、薪に燃え移らせ、ちゃんと火が燃えて、炊きあがるまでの小一時間、ぼくはひとりで火を見つめている。お釜の底は煤でビロードのような深い黒。その表面に紅い小さな火の粉が星のように点滅する。炎がめらめらと燃えあがって、釜の底をなめる。

　その流れをじっと見て、流れと形をなんとか捉えようとしたけれど、どうしても捉えられない。捉える前に、消えてしまう。

　その頃は、近くの川へ水遊びにもいった。冬でも行くんです。田舎で、他に遊ぶところもないからね。

　川の中の岩に、氷がついている。その氷をなめるように、水が流れていく。その水の流れも、じっと見ていた。流れを捉えたくて。でも、捉えられない。いらいらするくらい、捉えられない。

　それから、秋の田圃。稲穂が、風に揺れる。風の形が見える。でも、その流れがやっぱり捉えられない。

　でも、そうやって見ることが快楽だった。動きを見ることがね。ほかに何にもなかったから、それだけが救いだったんだ。

この詩的ともいえる文章から、

★《眉の滝》1992年、215×295mm、エングレーヴィング

★《夕景》1992年、196×294mm、エングレーヴィング

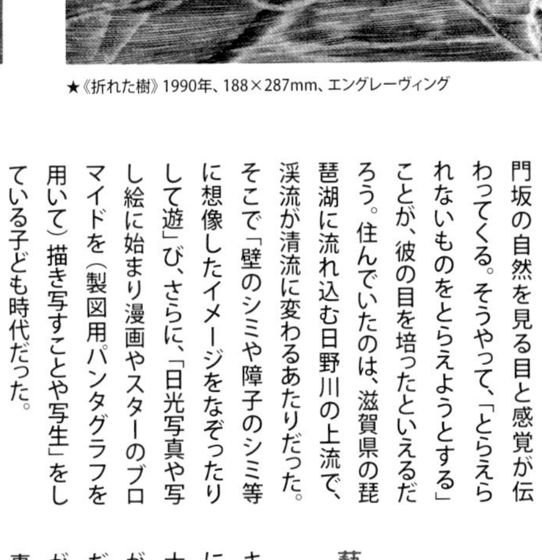

★《折れた樹》1990年、188×287mm、エングレーヴィング

門坂の自然を見る目と感覚が伝わってくる。そうやって、「とらえられないものをとらえようとする」ことが、彼の目を培ったといえるだろう。住んでいたのは、滋賀県の琵琶湖に流れ込む日野川の上流で、渓流が清流に変わるあたりだった。そこで「壁のシミや障子のシミ等に想像したイメージをなぞったりして遊」び、さらに、「日光写真や写し絵に始まり漫画やスターのブロマイドを（製図用パンタグラフを用いて）描き写すことや写生」をしている子ども時代だった。

　小学校二年のときには、姉が送ってくれた画集で、デ・キリコの絵に惹かれた。そして、中学からは、その姉と兄の働く大阪に落ち着き、暮らしも安定。高校では美術部に入り絵に熱中していった。その高校生のときには、フェルメールに出会い、「神とあがめるように」なった。それはフェルメールの『レースを編む女』（一六六九～七〇年）。最初にその絵を見たときに思い出したのは、次のような「障子に映った光」だった。

> 　病気で学校を休んで、家でひとりで寝ていた。そうしたら、障子にぼんやりと色のしみがある。なんだろうと思って、ふとんから起きあがって見に行ったら、そこに、風景がくっきりと逆さになって映っている。廊下に出てみると、雨戸の節穴から、光が一筋射していた。その印象が強烈だった。
>
> 　それと同じものを、ぼくはフェルメールに感じた。

　フェルメールが絵を描くのに、針穴写真を使っていたのを知ったのは、ずっとあとのことだったんだ。

藝大を離れ、その日暮らしに

　フェルメールとカメラ・オブスキュラの話は、近年、知られるようになった。こうして、門坂は東京藝大を目指す。特にデッサンには自信があり、落ちるはずがないと臨んだが不合格、愕然としたという。だが上京して画塾に通って、翌年、無事に藝大油彩科に合格した。

　そうやって、絵に対する理想と情熱に満ちていた門坂だったが、大学で知った画壇などの実情に失望した。それは折しも七〇年安保の激動の時代。彼は、筆を折る決意をして、藝大を辞めた。その後は、その日暮らし、けっこう荒んだ生活だったらしい。美術関連には見向きもせず、渋谷のロック喫茶によく行っていた。そのころ知り合った舞踏ダンサーの地方巡業に付き合って行ったら、人が足りず舞台にも上ったという。

　いわゆる団塊の世代で、七〇年安保に向けての安保闘争には、多くの学生が参加した。同時に、ベトナム反戦運動とともに、米国や欧州からヒッピー文化が入ってくる。フーテンの登場は六〇年安保が終わったあたりから七〇年ころまでで、ドロップアウトという言葉、そして自由人という言葉などが重なるだろう。永島慎二のマンガ『フーテン』（一九六七～七〇年）が、当時の雰囲気を表現していた。新宿西口駅前にたむろし、風月堂などに

★《十六歳 Tomo》1994年、160×125mm、ドライポイント

★《十六歳 Aki》1994年、160×125mm、ドライポイント

たむろするアーティストの卵たちなどが、当初はフーテンと呼ばれたり、後期はヒッピーと呼ばれたりしたと記憶している。ちなみに、現在活躍している舞踏家、舞踏の第一世代、第二世代も当時、風月堂にたむろしていた人は多い。

挿絵から始まる

門坂は、この時代のなかで、美術よりサブカルチャーに興味が移っていった。そんなとき、藝大同期だったデザイナーから声がかかり、植草甚一が一九七三年に創刊したカルチャー誌『宝島（WonderLand）』の創刊号で、片岡義男の小説『ロンサムカウボーイ』の挿絵によって、デビューすることになった。門坂は、はじめはアルバイト感覚だったが、抵抗があった絵の売買ではなく、絵を貸すことで収入を得るイラストレーターに活路を見出すようになった。

その後、門坂は数多くの小説などの書籍の表紙や挿画などを手がけ、小池真理子、篠田節子、寮美千子、そして編集者たちと親しく付き合うようになった。篠田節子『ゴサインタン』『弥勒』や小池真理子『一角獣』『虚無のオペラ』、ジェフリー・ディーヴァー『死の教訓』など、その装画はどこかで目にしたものがあるのではないか。内田康夫作品も手がけているが、ハルキ文庫ではカバーを外した本体表紙に門坂作品を見ることができる。また、高樹のぶ子『百年の預言』は朝日新聞連載時に挿画を描き、二〇〇〇年、同名の画集も刊行されている。

門坂は、最初は鉛筆で挿絵を描いていたが、その雑誌の印刷が活

★《人魚》2006年、116×88mm、ドライポイント

版に変わったことで、ペン画を描くようになり、そこで線の表現に目覚めた。そのときに、マックス・エルンストの『百頭女』（一九二九）のコラージュに影響を受け、ギュスターヴ・ドレ挿絵のダンテ『神曲』（一八六一〜六八）も大切にしていた。

★《一角獣》2003年、199×145mm、ドライポイント

一ミリに十二本の線を描く

門坂の技法は、鉛筆画は、6Hや8Hなど硬質のもので紙を削るように描いていた。ペン画は、KMKケント紙にゼブラ丸ペン、開明墨汁だった。鉛筆では、印刷すると細い線が飛んでしまうので、次第にペン画が主になった。それでも線が飛ぶことは多かったが、門坂は頑として自分の手法を変えなかったという。

　そうやって描いたペン画を中心とした画集『風力の学派』（ぎょうせい）が一九八八年に刊行された。これは企画されてから五年の歳月をかけたもので、そのうちの一年間は、一日十六時間、絵を描いていたという。一ミリに十二本の線を描くような仕事をしていたため、八時間は眠らないと目がいうことをきかず描けないから、起きている時間はずっと描いているようなものだった。そこには、門坂の六千時間が注ぎ込まれている。この大判のモノクロの画集では、画廊などで作品を見る以上に門坂の作品の詳細に触れ、かつその「流れ」に入り込むことができる。荒俣宏、池澤夏樹、伊藤俊治が文章を寄せ、なかごろにカラーの水彩画が挟まれているが、これもまたきわめて美しい。なお、荒俣はそこで門坂を「画家」ではなく「絵師」だと評している。

ビュランとエングレーヴィング

　門坂は「私の表現の中核はペン画によって形成」されたと述べたが、一九八五年、「ビュラン」という道具で銅版を刻む感覚と線の鋭さに惹かれ、制作を始めた。世界最古の銅版画技法とされるエングレーヴィングは、ビュラン彫りともいわれ、紙幣の印刷方法として知られる。ビュランは木製の丸い取っ手が付き、鉄の先端が四角く尖った独特の彫刻刀で、取っ手を掌で包むように彫るため、鉄棒の途中が曲げられたものも多い。これを砥ぐのがまた大変で、ツルツルの銅板に直接ビュランで刻む。門坂は、独学でエングレーヴィングを修得した。革製の台の上に銅板を置いてビュランで彫る。刷りは、最初は刷り師に頼んでいたが、コストから、プレス機を入手して自分で刷り始めた。また、ペン画を描く際には、紙を斜めや逆さにして作業しているのを見て、夫人はびっくりしたという。ほかにも、ドライポイント、リトグラフの作品がある。

　門坂は下書きをしないことでも知られる。夫人が出会った当初から下書きはしていなかった。そして一度、「描き間違うことはないのか」と尋ねたら、「描いた線はすべて正解」という答えが返ってきたそうだ。また門坂の作品は、「線が交差しない」ことも有名だが、初期には、こだわりなく線を重ねていた。いつからか、交差しないようになった。

　門坂は、近くから採ってきた石の絵を描いているときに、「石も粒子でできている。自分はただ粒子の流れを写しとっているだけ」と不思議なことを言ったという。門坂には「表現しようとしているのは、物の形の魅力ではなく、とらえようとしてとらえられない粒子の運動」という言葉もある。美術評論

★《ステファンの碑文》1999年、225×165mm、リトグラフ

家の中原祐介は、門坂の作品は「自然が流線や流紋によってつくりだされていることを示している」と評し、「そこには宇宙が感じられるといって過言ではあるまい」と述べた。

視えるがままに

門坂の作品は小さい。それは、「手の自然な動きによって描かれた線が、画面を構成する要素として一番適切な大きさ、ちょうど机の上に自然に置いた両手の内に入る大きさが一番似合っており、原則として印刷には原寸で使用できるように、つまり印刷物を手に持って見られる距離で描く」からで、「画面が大きすぎても小さすぎても、線は不自然な運動になってしま」うという。

また、「モチーフを、眼の焦点を少しずらせて視ると、全体が混沌とした粒子の流れに溶け込みはじめ、表面の世界が異なった相貌を呈しはじめ」、「その流れをできるだけ忠実に手の運動と共鳴させるようにして、線の束に写し変えていき」、「描かれた線によってモチーフを視る眼は次第に影響を受け、次の線につながり少しずつずれた輪唱のような眼と手の運動の一体感のうちに仕事が進められ」、「線は交差しないという原則によって、それぞれの線は画面上に等しい価値を与えられ、全体の同時的な運動に加わっていき」、「眼と手（知覚と技術）の運動の緊張感と一体感にすべてを集中させ、他は無意識にまかせて仕事が進められ、ある飽和状態に達したときに一枚の絵が

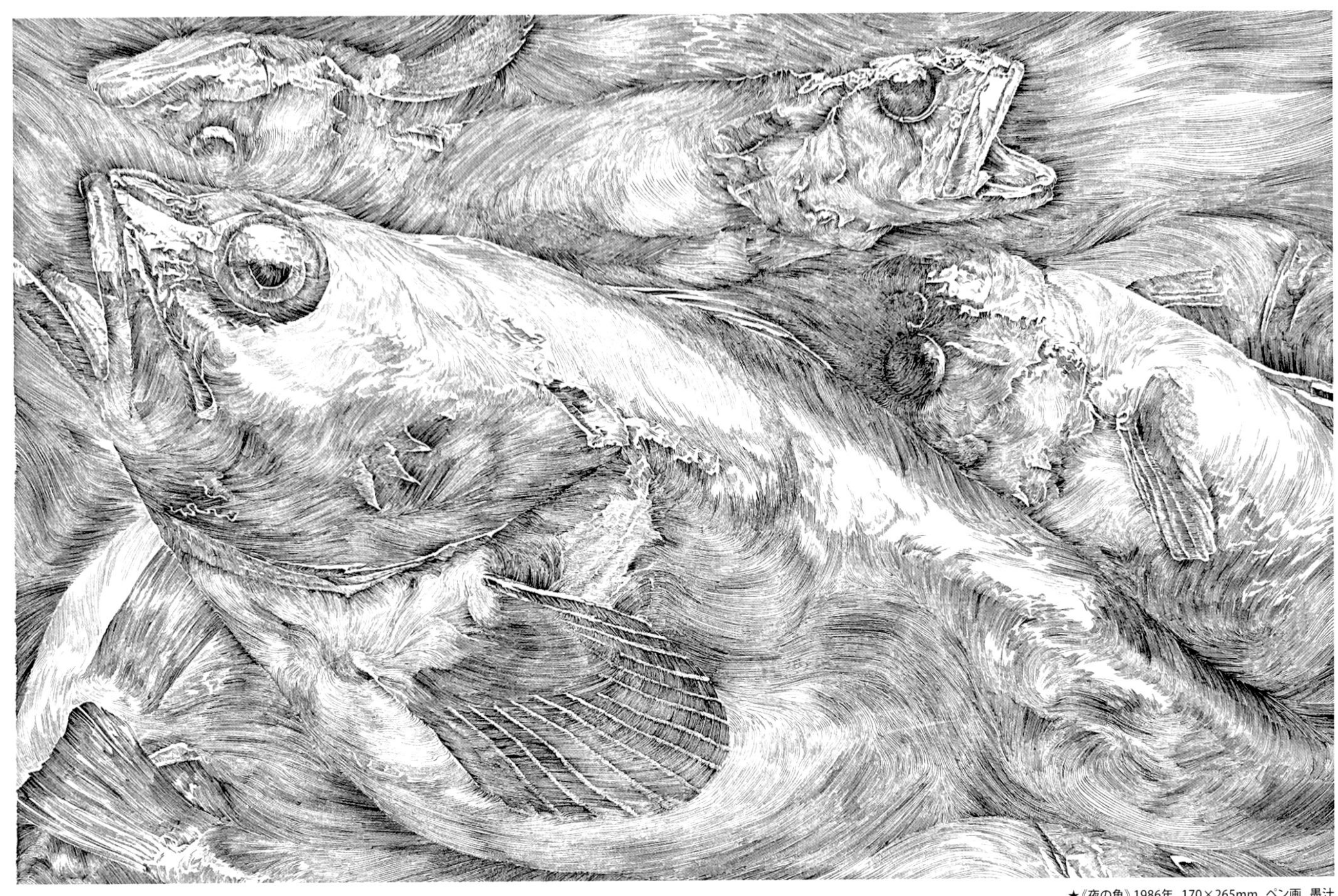

★《夜の魚》1986年、170×265mm、ペン画、墨汁

★《恍惚》1977年、141×95mm、ペン画

仕上が」るという。そして「意図的なデフォルメや意味づけ、作為を排した減算法で、「視えるがままに」という方向は、「無限の可能性のある領域」だと述べる。ここには、門坂の視点、視線、そして描き方から絵についての思想までが表現されている。

焦点を少しずらして見つめる

門坂が惹かれていた画家は、まずはヨハネス・フェルメール。高校時代から光についてたくさん学んだそうだ。また、ビュランを始める前からアルブレヒト・デューラーの絵の端に描かれた路傍の花や草むらを指して、「素晴らしい世界だ」と言い、線そのものがもつ味わいを夫人に話し、さらに、エル・グレコの空間の歪み、ピーター・ブリューゲルのディテールの面白さなども教えてくれたそうだ。そして絵の見方として、「焦点を少しずらして見つめていると違うものが見えてくる」と語ったという。この「焦点をずらす」という見方も重要だ。門坂の絵をじっと見ていると、自然と焦点がずれて、一部がぼうっと見えてきて、単なる「線」ではない、独自な幻想世界が見えてくる。

門坂は、絵を描くときはだいたい音楽を流していた。若いころはロックで、一時期ドイツのクラウス・シュルツのシンセサイザー音楽にのめり込んでいた。その後は歌謡曲を含めた雑多な音楽を聞き流し、後年はクラシック、特にバッハを聴き込んでいた。映画も好きで、ルイス・ブニュエルやアンドレイ・タルコフスキーの映像を賞賛していたという。

彼は、若いころはイラストレーターの小泉孝司、吉田光彦と親しくしていた。後年、山と渓谷社の仕事で登山を楽しむようになってから、山がきっかけで画家の建石修志、柄澤齋、多賀新、坂東壯一と「オジビズ（おじさん美術家たち）」として親しく交流し、たびたび酒宴を開いていたそうだ。吉田光彦はイラストレーターで漫画家でもあるが、銀座・青木画廊の画家でもあった小泉孝司には細密な絵もある。そして建石、柄澤、多賀、坂東の四人は、いずれも細密な描写が特徴の画家たちである。なお、建石と多賀の作品は、これまで本誌でも取り上げてきた。

門坂の作品は、現在、東京の町田市立国際版画美術館に二五〇点収蔵されている。また、東京・日本橋の不忍画廊が扱っており、二〇二四年四月には、「没後一〇年 オマージュ門坂流展」を開催予定だそうだ。多くの読者に門坂流の世界に触れていただきたい。（志賀信夫）

伝統は受け継がれ、そして変化していく

◉文＝沙月樹京

この見開きは「市松人形」出展作家

★山崎明咲／桐塑・胡粉仕上げ

★藤村紫雲／桐塑・胡粉仕上げ

★藤村光環／桐塑・胡粉仕上げ

★松乾斎東光／桐塑・胡粉仕上げ

★森下ことり／モデリングキャスト・石塑粘土・ビスク

★藤本晶子／モデリングキャスト・石塑粘土・グラスアイ・人毛

この見開きは
「創作人形［会期前半］」
出展作家

★長谷川裕子／桂の木・球体関節

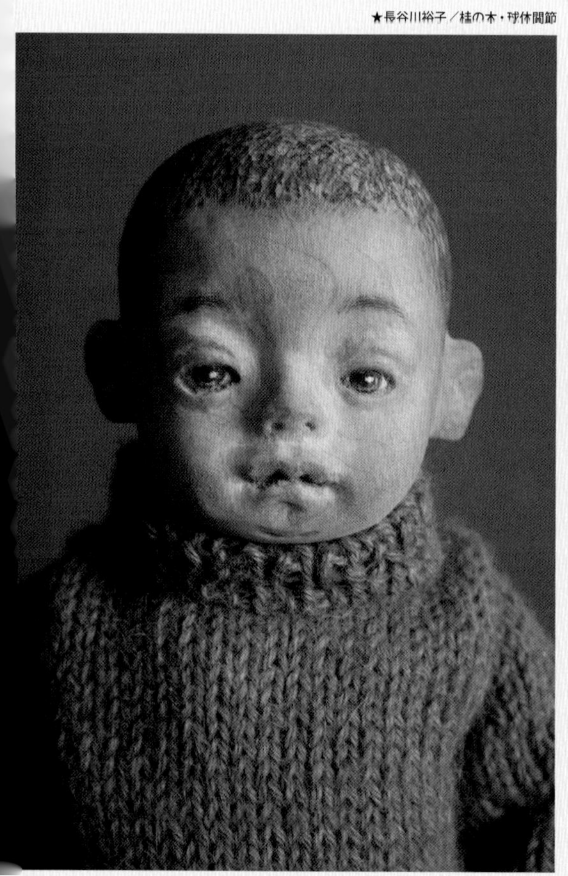

★川北すピ子／古い布

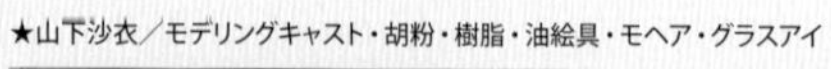

★山下沙衣／モデリングキャスト・胡粉・樹脂・油絵具・モヘア・グラスアイ

★水澄美恵子／粘土・和紙・縮緬など

★滝康子／布・木毛ほか・革貼り仕上げ

★清水真理／石塑粘土など

★大塩雅子／胡粉・油彩仕上げ

★En／石塑粘土

★芙蓉／サーニットほか

★吉水たか代／ビスク

この見開きは
「創作人形［会期後半］」
出展作家

★森馨／石塑粘土・ビスクなど

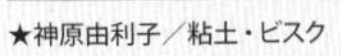

★神原由利子／粘土・ビスク

★ちゃお／ビスク

★月見月／粘土

★大野美香／ビスク

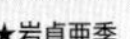
★岩貞亜季

★樹ノ下実果

★井田豊代

★よしだゆか

★和田まりえ

★華緒

市松人形といえば、おかっぱの髪、ふっくらした頬、大きな黒目をした日本伝統の人形というイメージだろうか。江戸時代中期に人気があった歌舞伎役者、佐野川市松に似ていたためそのように呼ばれるようになったという説が知られているが、江戸時代において広く庶民に親しまれていたことは間違いない。その市松人形は、人形師によっていまもその伝統が受け継がれており、しかも時代の趣向も加味した表現の追究がおこなわれている。その作品とともに、現代の創作人形をまじえて、多様な人形の魅力を紹介する「にんぎょう　うらら展」が、今年も浅草橋の吉徳で開催される。伝統と現代性とが呼応する稀有な展覧会だ。

　現代の創作人形も、当然ながら、大なり小なり伝統を参照しつつ制作されている。それらを市松と対

★森村ひとみ

★ゆき

★関口智美

★Qeromalion＊鳴力

この見開きは
次世代の作家を紹介する
「リコメンドコーナー」
出展作家

伝統を礎に、次代を拓く人形たち

峙させることで、伝統のあり方、現代性のあり方が浮き彫りになってくる。そこに本展覧会の見どころのひとつがあるだろう。そして、そうした現代性の中から、どのような伝統が新たに生まれてくるのか──そんなことにも思いを巡らせながら作品を鑑賞してみたい。

人形のほか、手造り小物や古裂などの出品や、ワークショップなどもあり。詳細はＨＰ等を参照のこと。

（沙月樹京）

◉「第12回 にんぎょう うらら展」
前期／2023年10月21日（土）〜25日（水）
後期／2023年10月26日（木）〜30日（月）
※創作人形のみ前後期入れ替え
会期中無休　10：00〜17：00（最終日〜16：00）
入場無料
場所／吉徳浅草橋本店 1階・3階・4階
Tel.03-3863-4419
https://www.yoshitoku.co.jp/

長い歳月を生きる人形

◉写真＝田中流／文＝沙月樹京

★《堆積する日々》2023年、90cm、石塑粘土・胡粉ジェッソ・アクリル絵具・布・描き目・ドールヘア

土谷寛枇

TSUCIYA KANBI

★《scena muta》2022年、90cm、
石塑粘土・胡粉・アクリル絵具・布・描き目・ドールヘア

★《白夜》2023年、65cm、
石塑粘土・グラスアイ・胡粉・油彩・化繊

★《二十六夜》2023年、65cm、
石塑粘土・グラスアイ・胡粉・油彩・人毛

★《極夜》2023年、65cm、
石塑粘土・グラスアイ・胡粉 油彩・モヘア

★《Pagina Verde》2020年、65cm、石塑粘土・グラスアイ・胡粉 油彩・人毛